11 heures

12 heures

1 heure

5 heures

6 heures

7 heures

Les parents sont souvent surpris par la mémoire et la justesse d'observation des jeunes enfants. Beaucoup de parents commencent à se rendre compte que le meilleur moment pour apprendre aux enfants est celui où tout leur semble neuf et, par conséquent, important.

Cette série de cinq ouvrages est destinée à aider les parents à amuser, à intéresser et à éduquer leur jeune enfant.

Les **couleurs**, les **formes**, les **nombres**, **l'heure**, les **dimensions** ont un rôle essentiel à jouer dans l'initiation à la lecture.

**Apprenons l'heure** permettra au jeune enfant de faire aisément le lien entre le cadran du réveil, de la pendule ou de l'horloge, et les scènes de sa vie quotidienne.

© Ladybird Books Ltd, Loughborough, Leicestershire, England 1983
Titre original: *Telling the time*
ISBN: 0 7214 0799 4
Dépôt légal: 1er Trimestre 1983
No. d'éditeur: 3239
Imprimé en Angleterre par Ladybird Books Ltd

# apprenons
# l'heure

*par* LYNNE BRADBURY
*illustré par* MARTIN AITCHISON

Traduction Garnier Frères

le jour

la nuit

le matin

l'après-midi

le soir

5

Il est 8 heures
du matin.

Certains se
lèvent.

D'autres prennent
leur petit déjeuner.

Il est 9 heures.

Les enfants vont à l'école.

Les petits enfants restent à la maison.

A 9 heures,
maman travaille.
Papa travaille.

Il est 10 heures.

Tout le monde est occupé.

Que font-ils?

Il est 11 heures.

Les enfants
boivent du lait.
Puis ils sortent
jouer.

A 11 heures,
les adultes boivent
aussi du thé ou du
café.

Il est 12 heures.

Midi est la fin de
la matinée.

12 heures,
c'est le milieu
de la journée.

A midi
les enfants
mangent.

Certains sont à la maison.

Certains sont à l'école.

# Il est 1 heure
# de l'après midi.

Beaucoup de gens
mangent à 1 heure.

Ils mangent
différentes choses.

Il est 2 heures.

Que font
ces enfants?

A 2 heures,
les adultes sont
occupés, eux aussi.

Il est 3 heures.

A 3 heures,
les adultes aiment
boire une tasse
de café.

Il est 4 heures.

Les enfants
rentrent de
l'école.

Ils ont faim.

31

A 4 heures,
les enfants
regardent parfois
la télévision.

A 4 heures,
s'il fait beau,
ils peuvent
jouer dehors.

Il est 5 heures.

Maman est occupée.

Elle fait la cuisine.

Il est 6 heures
du soir.

Les gens rentrent
du travail.

A 6 heures,

papa est rentré.

Il est 7 heures
du soir.

Que font ces
enfants avant
d'aller au lit?

43

A 7 heures,
quand les
enfants sont
couchés, on leur
lit une histoire.

Il est 8 heures
du soir.

Les enfants
dorment.

Maman sort
à 8 heures,
Papa regarde
la télévision.

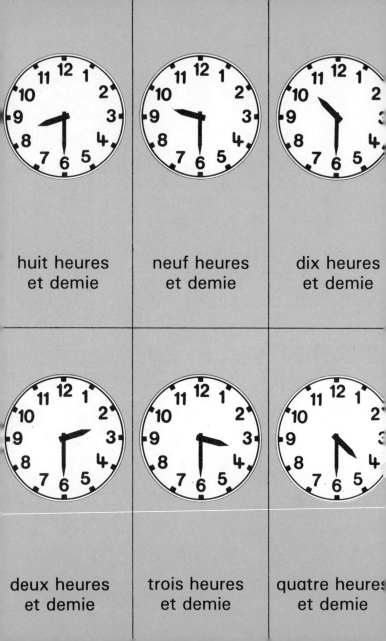

huit heures
et demie

neuf heures
et demie

dix heures
et demie

deux heures
et demie

trois heures
et demie

quatre heures
et demie

grande aiguille

petite aiguille

Découpez et collez sur du carton. Fixez les aiguilles avec une attache, la grande aiguille au-dessus.